墨点字帖

U0129818

怀仁集王羲之圣教序

书法字谱集

陈行健 主编

中原出版传媒集团
大地传媒
河南美术出版社
·郑州·

图书在版编目（CIP）数据

怀仁集王羲之圣教序 / 陈行健主编. —郑州：河南美术出版社，2015.8（2019.7 重印）
（书法字谱集）
ISBN 978-7-5401-3223-1

Ⅰ. ①怀… Ⅱ. ①陈… Ⅲ. ①行书－书法
Ⅳ. ① J292.113.5

中国版本图书馆 CIP 数据核字（2015）第 132804 号

责任编辑：张浩　杜笑谈
责任校对：吴高民
策　　划：墨点字帖
封面设计：墨点字帖

书法字谱集
怀仁集王羲之圣教序　©陈行健　主编
出版发行：河南美术出版社
地　　址：郑州市经五路 66 号
邮　　编：450002
电　　话：0371-65727637
印　　刷：武汉市新华印刷有限责任公司
开　　本：889mm×1194mm　1/16
印　　张：3
版　　次：2015 年 8 月第 1 版　2019 年 7 月第 5 次印刷
定　　价：20.00 元

前 言

王羲之（303-361），东晋书法家，字逸少，琅琊（今山东临沂）人，后迁会稽山阴（今浙江绍兴）。出身贵族，官至右军将军、会稽内史，人称王右军。

王羲之的行书字形妍美，体势雄强，于苍劲中见姿媚，表现出一种飘逸潇洒、精劲遒健的自然风度，且能静中寓动，有“龙跃天门，虎卧凤阙”之势，其作《兰亭序》被誉为天下第一行书。

唐贞观十九年（645），玄奘法师取经归来，奉命居弘福寺译经。唐太宗亲为所译经书作序，太子李治作记，后来弘福寺僧怀仁从唐内府所藏王羲之行书及民间王家遗墨中集字，历时20余年，将太宗序、太子记以及太宗、太子笺答、玄奘所译《心经》等五种集出，于唐高宗咸亨三年（672），由诸葛神力勒石，朱静藏镌刻，将其共刻于一石，即为《怀仁集王羲之圣教序》。行书，30行，每行83-88字不等。碑首刻有七佛像，因而又名《七佛像圣教序》，现藏于陕西西安碑林博物馆。

《圣教序》虽为集字，但由于王羲之传世作品少见，加之怀仁功力精湛，又是谨慎从事，终能完好地再现王羲之书法的艺术特征，故为历代书家所重，是学习王氏行书的最佳范本。

行书笔法简述

行书，是介于楷书和草书之间的一种书体。综观中国书法史，虽然是多体俱备，但有些书体，在兴盛了一段时间后，就逐渐被人们所忽略。如篆书自秦以后，就很少为人们所用；隶书自汉以后，也逐渐式微，一直到清代中期，由于大量碑版文物出土，为了研究的需要，人们才重新对篆、隶书进行关注；即便是楷书，自唐以后，也因为逐渐演变成科举考试的专用书体，即所谓的“台阁体”“馆阁体”，而为人所诟病。唯有行书自魏晋以来，一直为人们所喜爱而常盛不衰。究其原因，笔者认为行书一是随意性强，二是快捷，三是易识读。因而被大众审美所青睐。

正是由于行书书写的随意性，其表现形式也呈多样化，既可写得工整一点，也可写得放纵一点。从书法的角度来看，我们便把行兼楷意近乎工整者谓之行楷；把行兼草意近乎放纵者谓之行草。无论行楷、行草，在用笔上都没有一定的规范性，往往会根据书写者审美的不同而变化。从笔法上讲，落笔是藏是露、是方是圆都依字形而变化；运笔时中锋、侧锋兼而有之；收笔时常常以笔势与下一字起笔相呼应；点画之间的衔接，往往出现一些牵丝映带，从而增强字与字之间，点画与点画之间笔势的连贯性。正是由于这些不规范性，给我们临习增加了一定难度。

人们常说，行书是楷书的流动与快写，显然，写行书需要有楷书的基础。但是，对于“行书是楷书的流动”要有一个正确的认识，“流动”并非仅仅是快，而是要把握好笔锋在流动中不断出现的提与按，这是要经过长时间的临摹才能感悟到的。初学者不妨采取描摹法，先将临摹对象用双钩勾出轮廓，再用墨填写，填写时要注意提按的变化，先摹部首，再摹整个字，先慢后快，使点画之间顺乎自然地有纤细的游丝牵连。然后再抛开范本，从逐字临写到逐行临写。行书讲究“贯气”，所以在逐行临写时还要处理好字与字之间的呼应与上下承应的关系，把握好一气贯通的技法。

王羲之因其作品《兰亭序》被称为“天下第一行书”而享誉书坛数千年，后世行书书家无不受其影响。本篇《怀仁集王羲之圣教序》是唐代高僧怀仁集王羲之书法而成篇，在上下承应和贯气上可能不理想，但王氏行书那种方圆并用、刚柔相济、疏密得宜、奇正相生的风格和字形妍美、体势雄强、飘逸潇洒、精劲遒健的特征则表现得淋漓尽致，不失为学习行书的最佳范本之一。

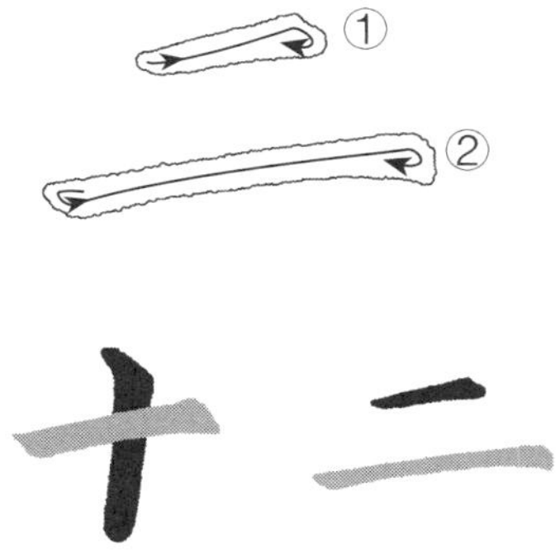

1. 平横

①露锋起笔，转向后向右行笔，收笔时向右下稍按，随即向左回锋收笔。

②藏锋逆入起笔，转向后向右行笔，收笔时向右下稍按，随即向左回锋收笔。

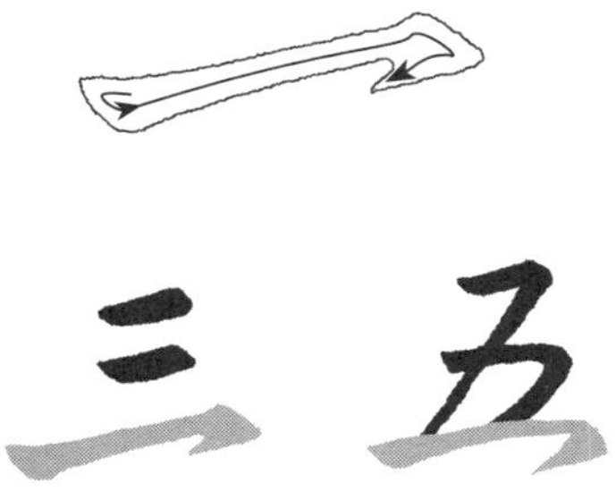

2. 带钩横

起笔可藏可露，转向后向右行笔，收笔时先向右下稍按，随即转向向左下轻提笔锋，以出锋收笔。

3. 悬针竖

藏锋逆入起笔，转向后向下垂直行笔，收笔时逐渐提锋，以出锋收笔。

4. 垂露竖

藏锋逆入起笔，转向后向下垂直行笔，收笔时先向左稍移，随即向右下移，再向上作回锋收笔。

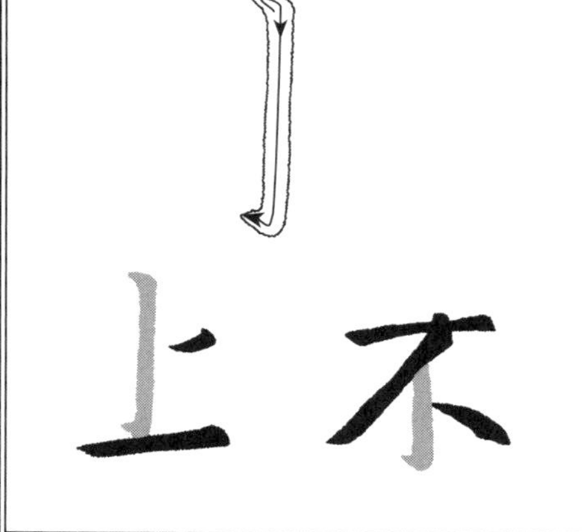

5. 带钩竖

藏锋逆入起笔，转向后向下垂直行笔，收笔时先向左下稍移，然后提锋向左上以出锋收笔。

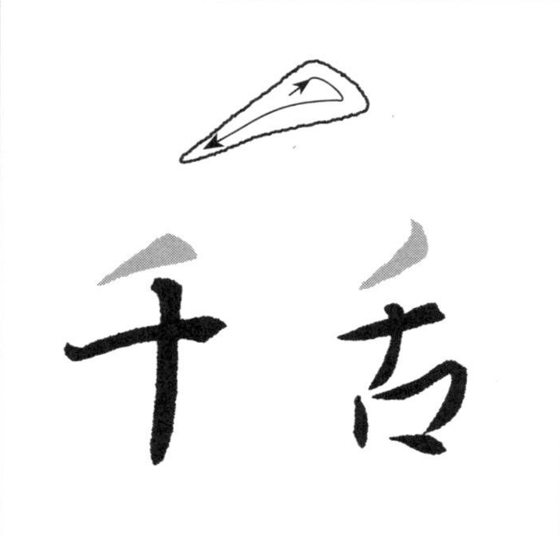

6. 短撇

藏锋逆入起笔，转向后先向右作短暂运笔，随即转向向左下取弧线状作侧锋运笔，收笔时轻提笔锋以出锋收笔。

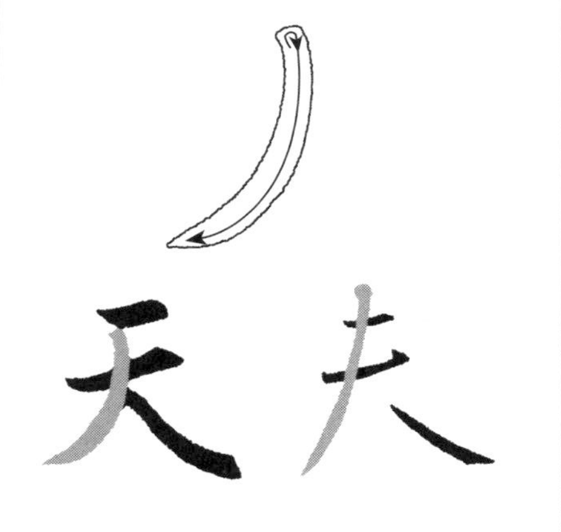

7. 长撇

藏锋逆入起笔，从右上向左下取弧线状作侧锋运笔，收笔时轻提笔锋以出锋收笔。

8. 斜捺

露锋起笔，由左上向右下取斜势行笔，收笔时转向右前方作短暂运笔后以出锋收笔。

9. 反捺

露锋起笔，由左向右作弧线状行笔，收笔时先向右下稍按，随即再转向，向左下作出锋收笔。

10. 点

露锋起笔，向右下取斜势行笔，收笔时稍顿，然后向左上作回锋收笔。

11. 提

藏锋逆入起笔，转向后由左下向右上行笔，逐渐提锋以出锋收笔。

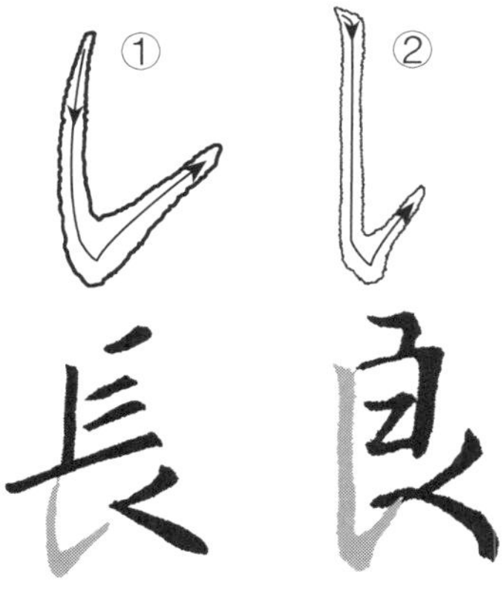

12. 竖提

①露锋起笔，由上向下作弧线状行笔，收笔时向右上以出锋收笔。

②露锋起笔，由上向下作直线行笔，收笔时先向右下稍按，随即转向向右上作出锋收笔。

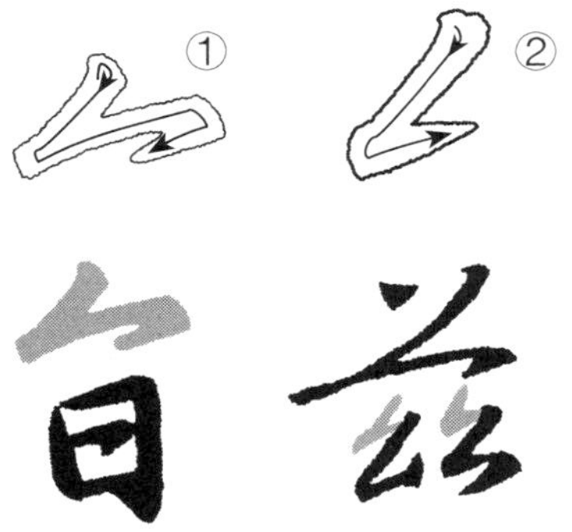

13. 撇折

①藏锋逆入起笔，从右上向左下取斜势行笔，转向时先向左下轻按，然后提笔向右上行笔，收笔时先向右下稍顿，再向左下以出锋收笔。

②藏锋起笔，由右上向左下取斜势行笔，收笔时稍驻，然后转向，提笔右上以出锋收笔。

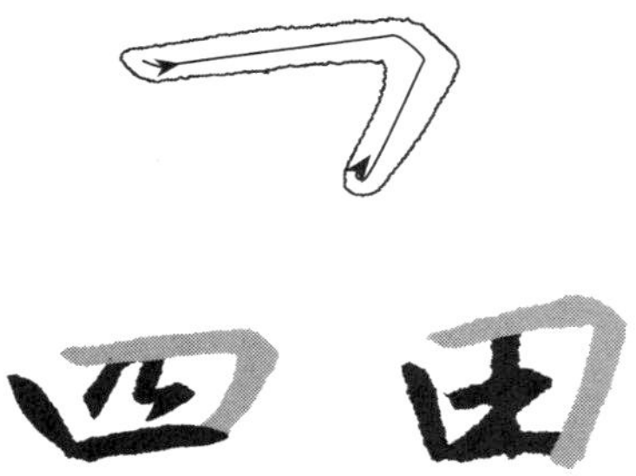

14. 横折

露锋起笔，由左至右横向行笔，转折时先向右上稍提，然后迅速向右下稍按，再向左下行笔，收笔时以回锋收笔。

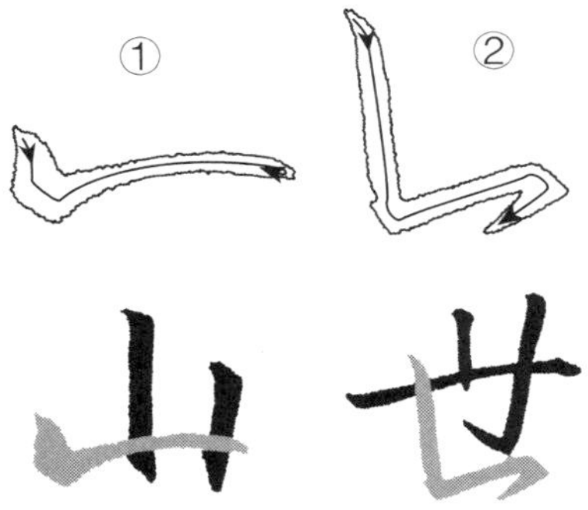

15. 竖折

①露锋起笔，由上向下作短暂行笔，转向时先向右下作短暂行笔，再向右作横向行笔，收笔时先向右下稍按，随即向左作回锋收笔。

②露锋行笔由上向下竖向行笔，转向时先向右下作短暂过渡，再向右上横向行笔，收笔时先向右下轻按，再转向向左下以出锋收笔。

16. 横钩

露锋起笔作短暂竖向行笔，转向时先向右下稍按，再向右上作横向行笔，再转向先稍按，再向左下作弧线状以出锋收笔。

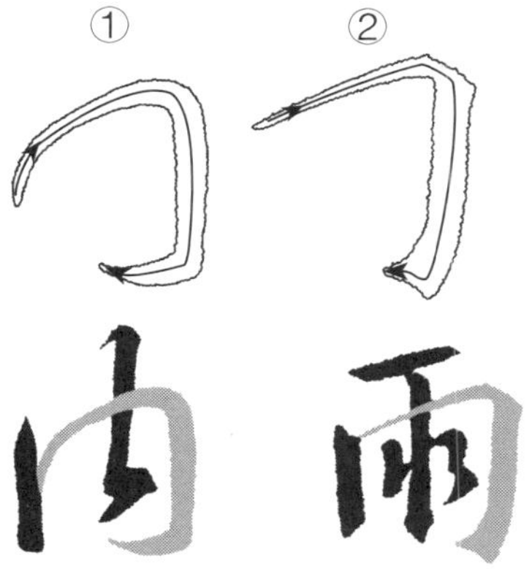

17. 横折钩

①接上笔竖画，由左下向右上取横势行笔，再转向由上向下取竖势行笔，收笔时由右向左作弧线状以出锋收笔。

②接上笔竖画，向右取横势行笔，转向时先向右下稍按，随即向下取竖势行笔，收笔时先向上稍提笔锋，随即向左作出锋收笔。

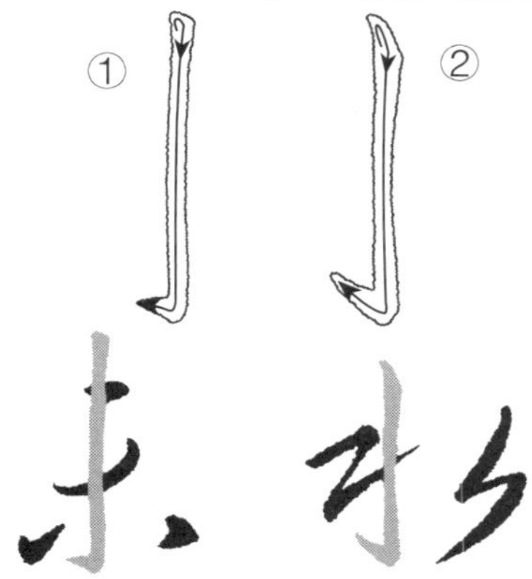

18. 竖钩

①藏锋逆入起笔，转向后向下取竖势行笔，收笔时稍提笔锋，随即向左上作出锋收笔。

②藏锋逆入起笔，转向后向下取竖势行笔，收笔时稍向右移，再向左上作弧线状以出锋收笔。

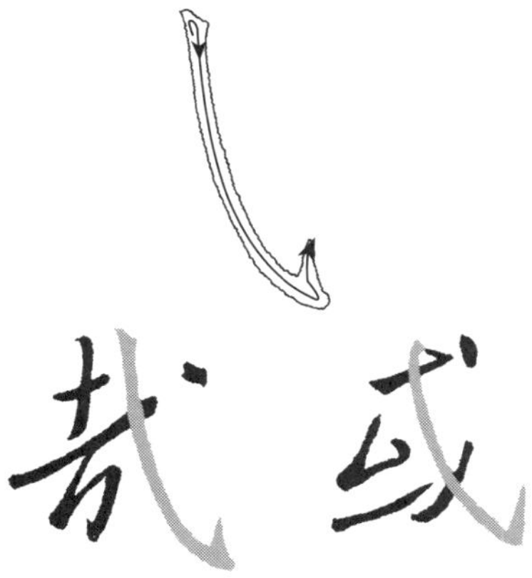

19. 斜钩

藏锋逆入起笔，转向后向右下作弧线状行笔，收笔时稍向上移，随即向右上以出锋收笔。

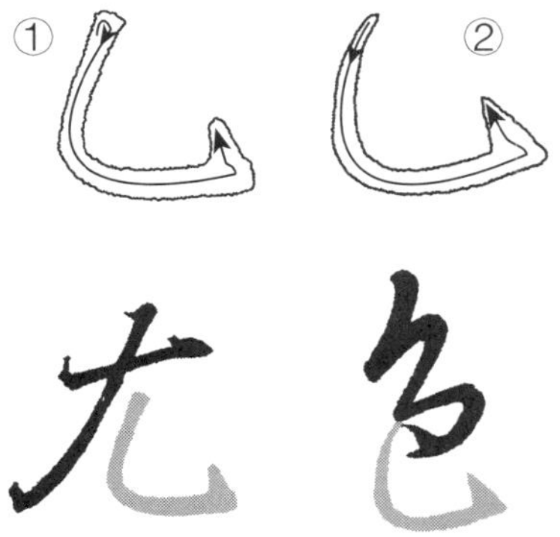

20. 竖弯钩

①藏锋逆入起笔，转向后向左下取竖势行笔，逐渐转为向右横势行笔，收笔时稍向左移，再向左上以出锋收笔。

②露锋起笔，向左下作弧线状取竖势行笔，逐渐转向向右横势行笔，收笔时稍向左上以出锋收笔。

基本笔画：横、竖

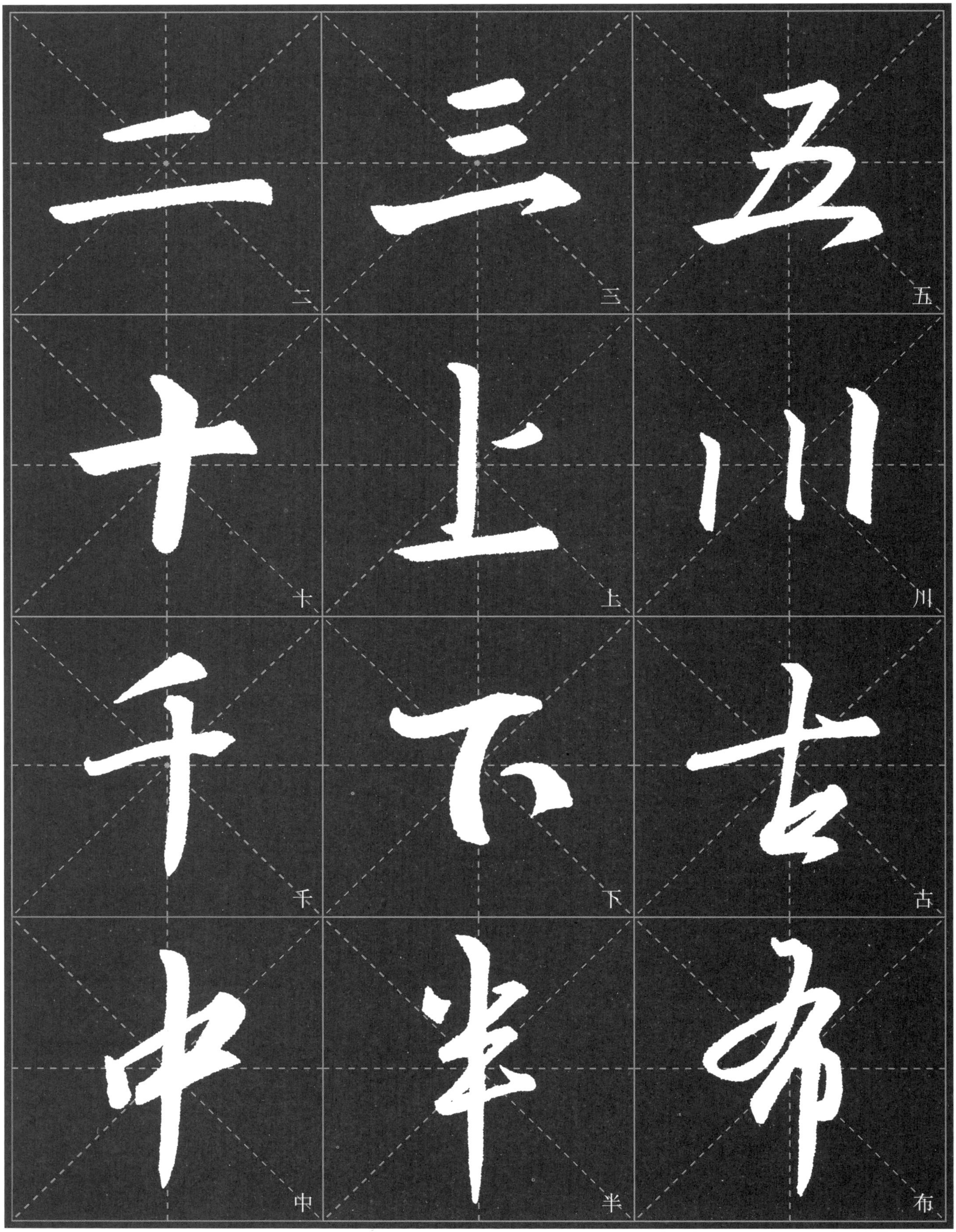

人
大
夫
天
今
金
交
左
及
本
奉
来

基本笔画：点

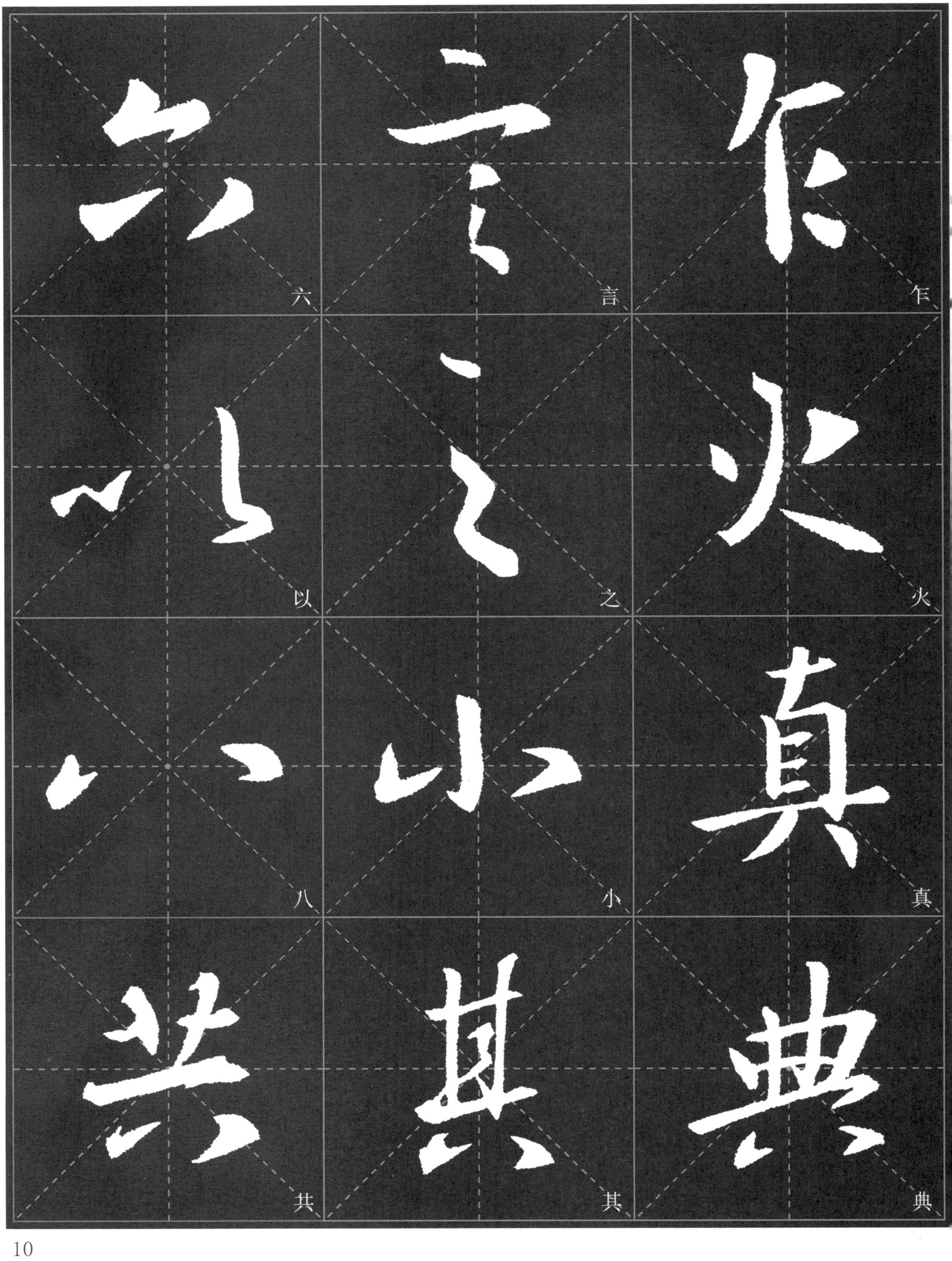

四
田
日
兹
旨
图
正
世
山
书
百
早

基本笔画：钩

仁
化
仙
侣
伏
伦
住
作
使
佛
依
侍

偏旁部首：亻

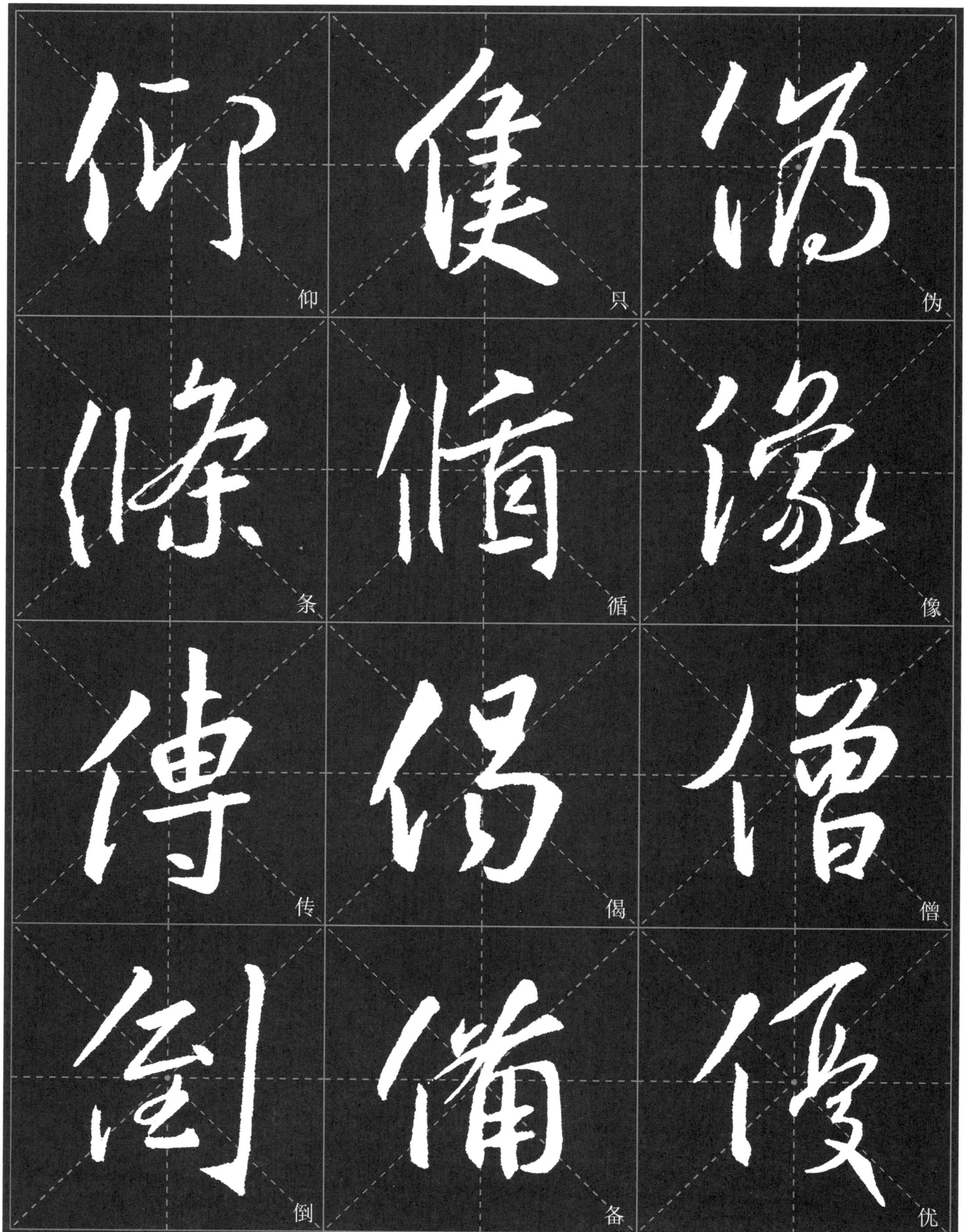

仪
仆
行
往
彼
复
得
后
德
御
微
征

偏旁部首：氵

洞
波
泽
津
涅
浊
潜
润
测
涛
济
灭

偏旁部首：氵

拱
控
杖
括
哲
抠
掩
拯
探
析
抑
投

偏旁部首：扌

林
松
朽
桂
相
栖
根
机
积
秘
稷
香

偏旁部首：忄、礻、衤

细
经
综
终
纪
纲
维
缘
续
味
唯
咒

偏旁部首：日、月

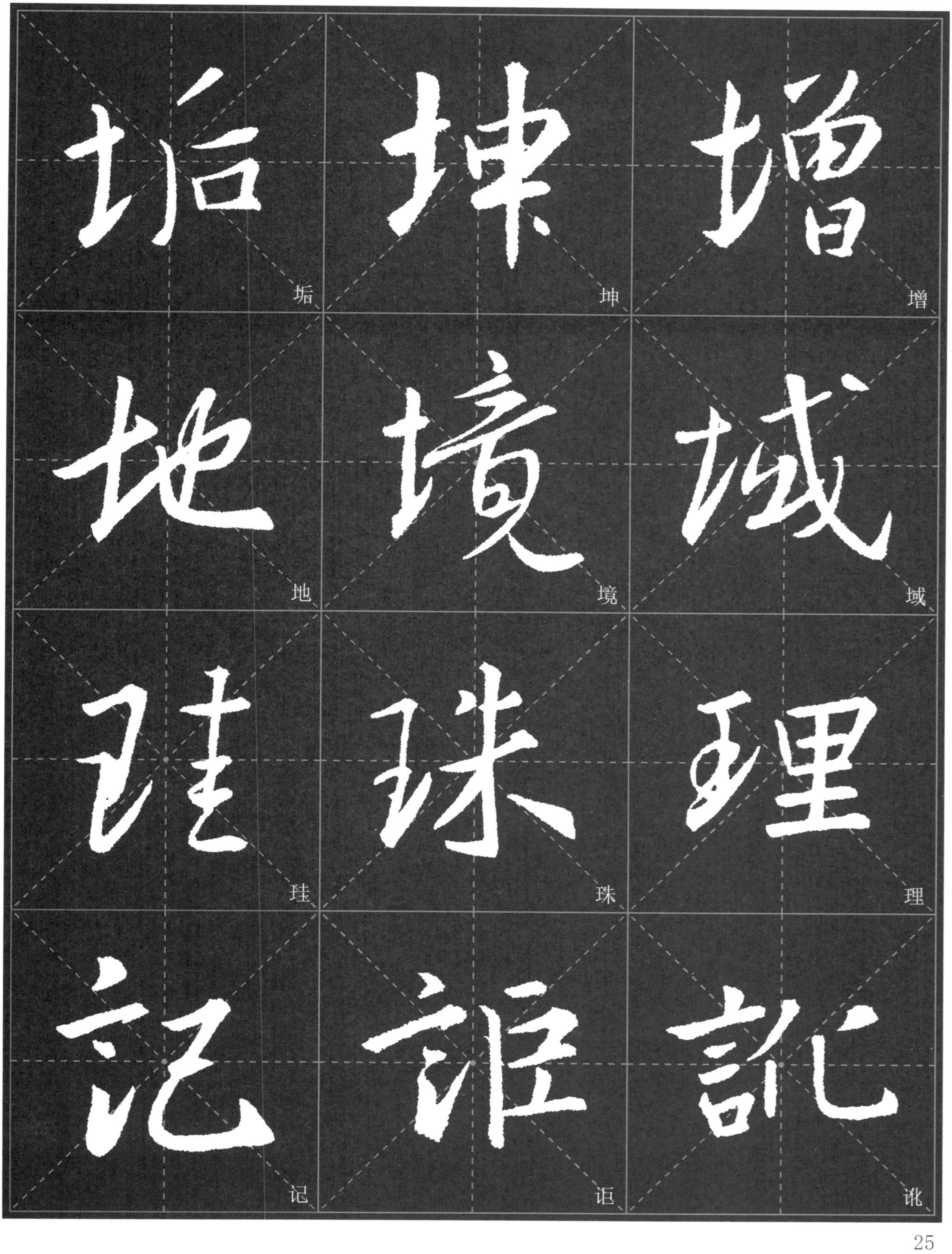
垢
坤
增
地
境
域
珪
珠
理
记
讵
讹

偏旁部首：讠

阴
阳
隐
降
陵
际
附
随
隆
邦
部
耶

偏旁部首：弓、女、火、⻊

转
轻
轮
钟
镜
鉴
文
故
敬
教
敏
敷

偏旁部首：页、见、彡

偏旁部首：艹

偏旁部首：艹、宀

荒　菩　剪

等　蕴　莎

薩　薛　梦

窒　宫　宗

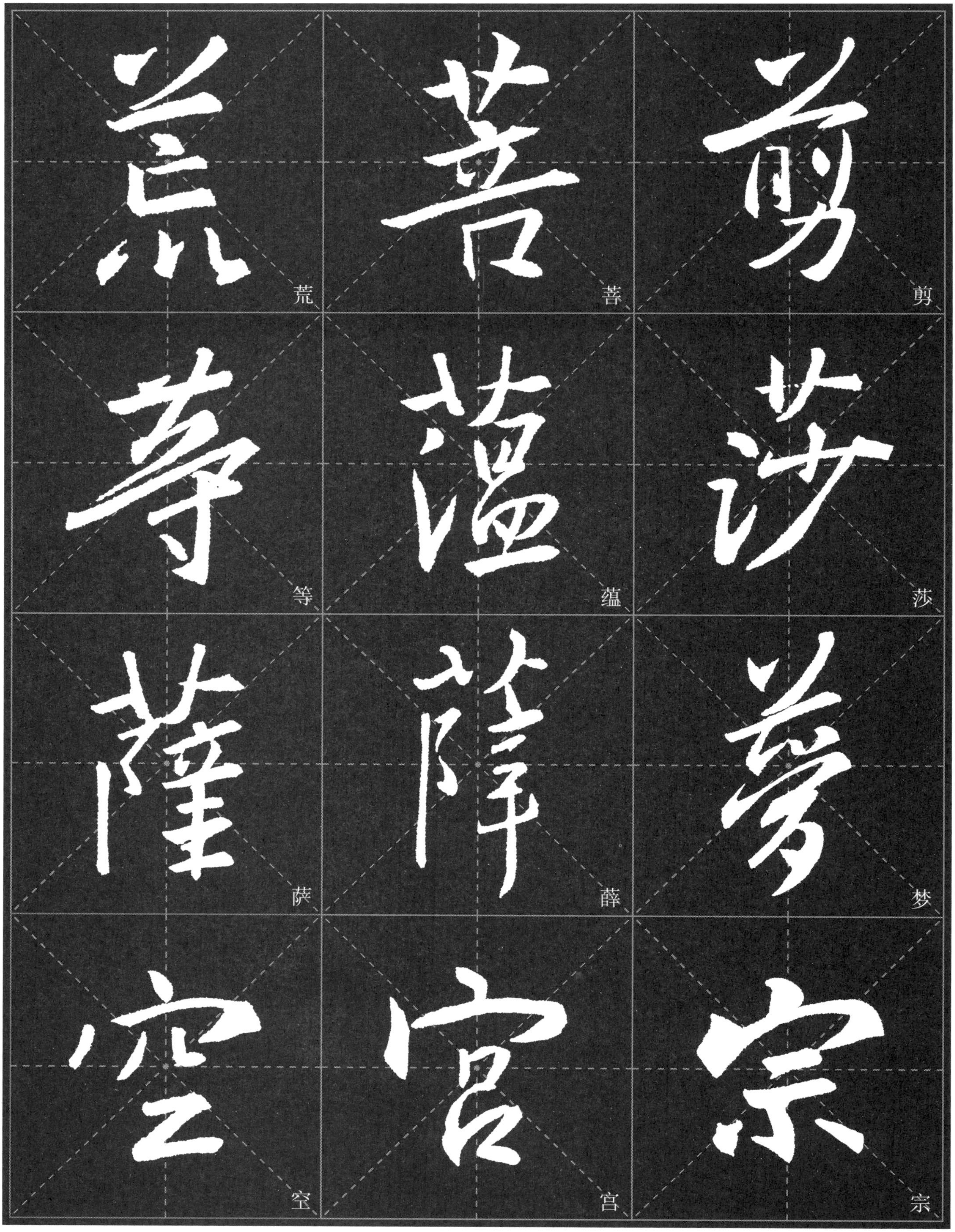

宅
宏
字
寂
宇
定
室
究
容
宣
寒
守

偏旁部首：宀、雨

令
全
含
舍
金
会
心
思
忍
恩
悲
愚

偏旁部首：心

然
照
黔
无
兼
燕
贤
资
质
盖
益
尽

偏旁部首：辶

达
莲
遐
游
遂
迟
遵
迁
迷
建
巡
迦

偏旁部首：广

处
虚
门
问
闲
开
间
闻
阑
因
固
国

《怀仁集王羲之圣教序》节选

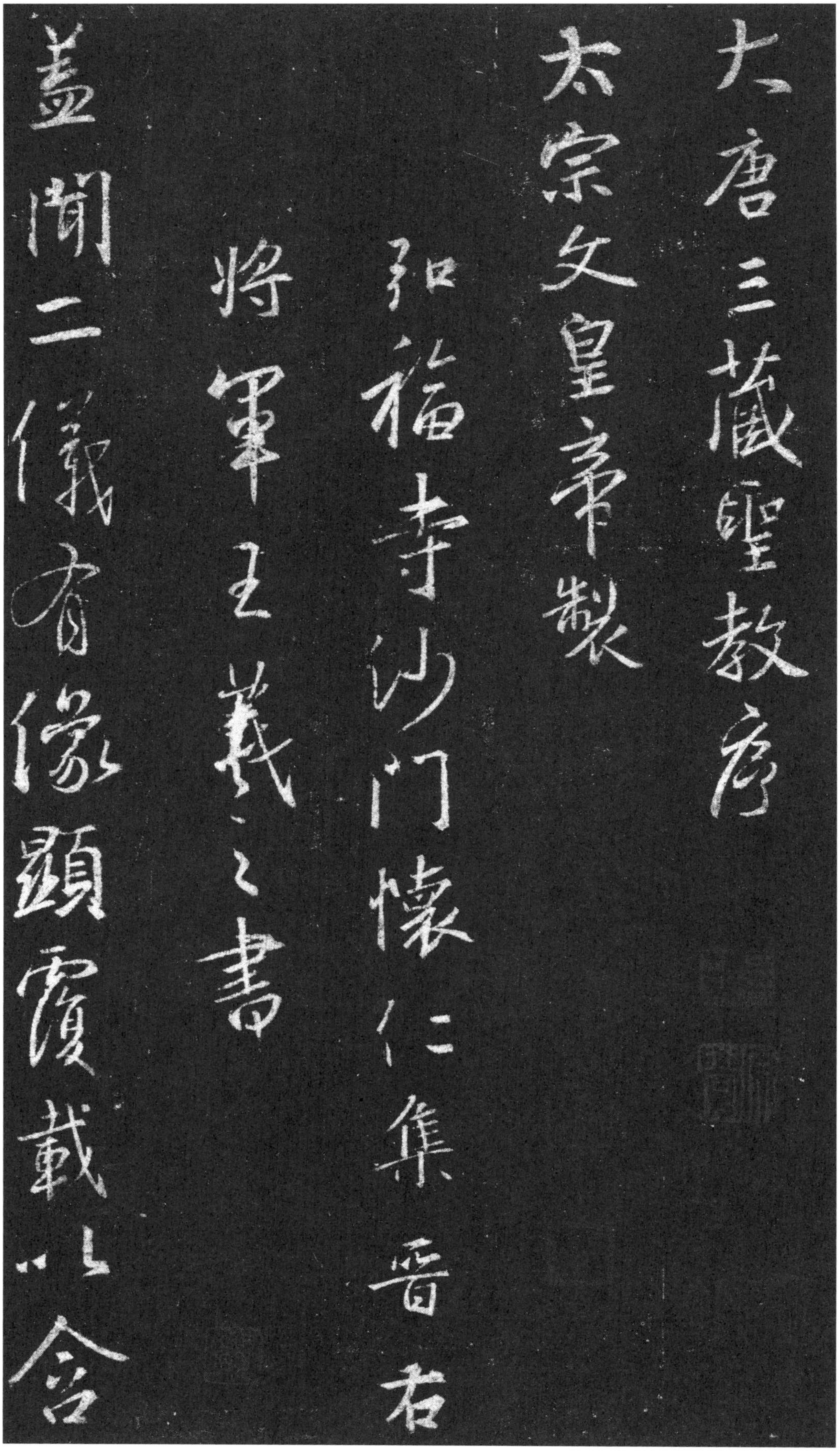

生四時無形潛寒暑以化物
是以窺天鑑地庸愚皆識其
端明陰洞陽賢哲罕窮其數
然而天地苞乎陰陽而易識
者以其有像也陰陽處乎天

《怀仁集王羲之圣教序》节选

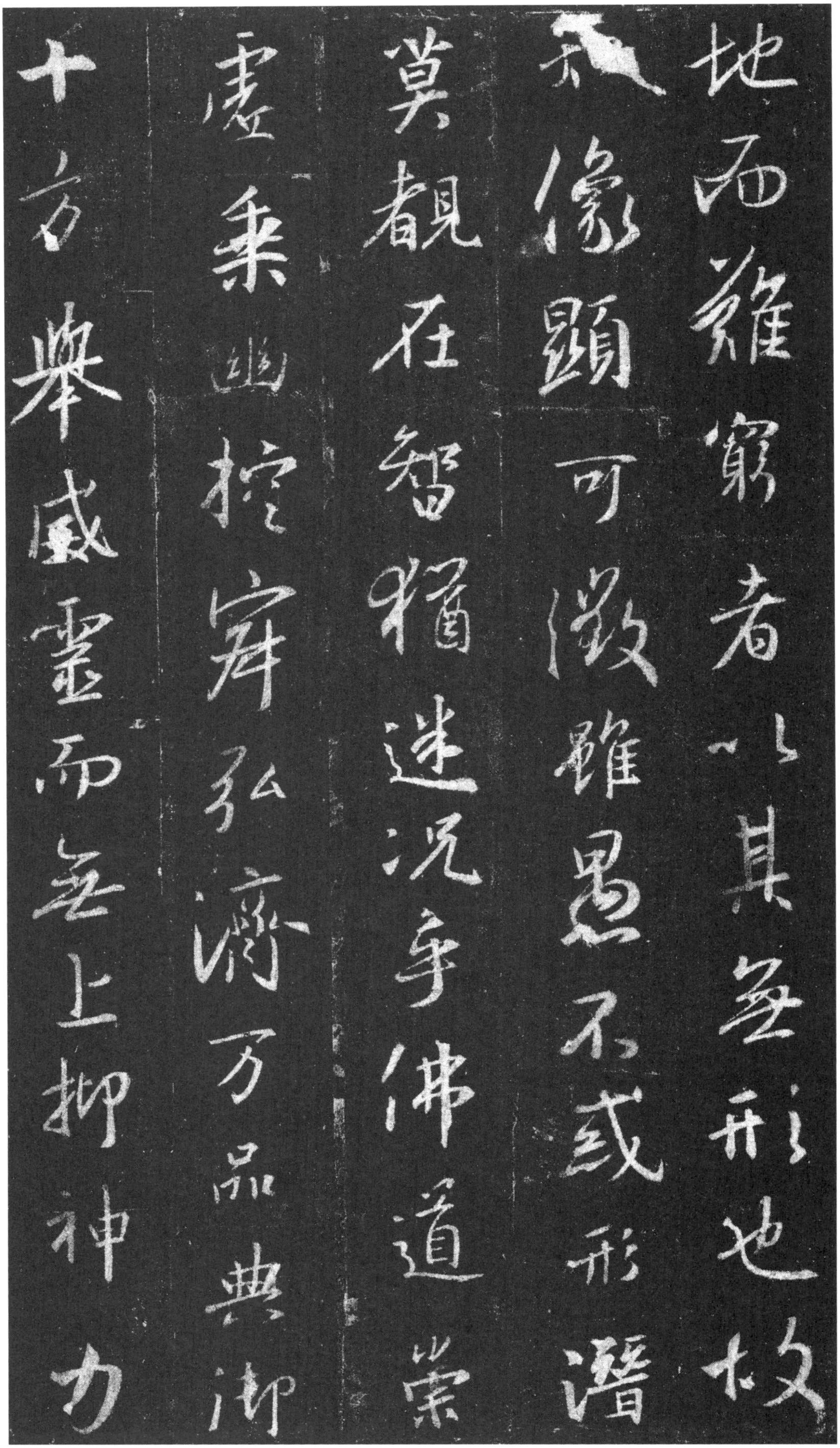
地而難窮者以其無形也故
像顯可徵雖愚不惑形潛
莫覩在智猶迷況乎佛道崇
虛乘幽控寂弘濟万品典御
十方舉威靈而無上抑神力

有奖问卷

亲爱的读者，非常感谢您购买“墨点字帖”系列图书。为了提供更加优质的图书，我们希望更多地了解您的真实想法与书写水平，在此设计这份调查表，希望您能认真完成并连同您的作品一起回寄给我们。

前100名回复的读者，将有机会得到书法老师的点评，并在“墨点网站”上展示或获得温馨礼物一份。希望您能积极参与，早日练得一手好字！

1. 您会选择下列哪种类型的图书？（请排名）________________

   A. 原碑帖　B. 书法教程　C. 书法鉴赏知识　D. 书法作品　E. 书法字典

2. 在选择传统书法时，您更倾向于哪种书体？请列举具体名称。

   ____

3. 您希望购买的图书中有哪些内容？（可多选）

   A. 技法讲解　B. 章法讲解　C. 作品展示　D. 创作常识　E. 诗词鉴赏　F. 其他

4. 您选择图书时，更注重哪些方面的内容？（可多选）

   A. 实用性　B. 欣赏性　C. 实用和欣赏相结合　D. 出版社或作者的知名度　E. 其他

5. 您喜欢下列哪种练习方式？（可多选）

   A. 书中带透明纸　B. 放大临习本　C. 填廓描红　D. 多种练习方式相结合　E. 其他

6. 您购买此书的原因有哪些？（可多选）

   A. 装帧设计好　B. 内容编写好　C. 选字漂亮　D. 印刷清晰　E. 价格适中　F. 其他

7. 您每年大概投入多少金额来购买书法类图书？每年大概会购买几本？

   ____

8. 请评价一下此书的优缺点：

   ____

姓名：　　**E-mail：**

性别：　　**电　话：**

年龄：　　**地　址：**

回执地址：武汉市洪山区雄楚大街268号省出版文化城C座603室
收 信 人：墨点字帖毛笔编辑室　　邮编：430070
天猫商城：http://whxxts.tmall.com

我的作品